게을러도
여행은 하고 싶어

· 일러두기 ·

책의 일부 구성과 대사는 만화적 요소에 맞춰 표현되었습니다.
실제 여행 순서와 만화 순서는 조금 다를 수 있습니다.

게을러도 여행은 하고 싶어

여기서 행복할 것이 아니라
어디서든 행복해지는 방법을 찾았다

글·그림 김한솔이

키효북스

캐릭터 소개

키만 & 효밥

키만소리(김한솔이)

문과 감성 와이프, ENFP

하고 싶은 일이 있다면 해야 직성이 풀리는 타입

여행 전 직업 : 프리랜서 작가, 카페 운영

여행 후 직업 : 출판사 대표

특이사항 : 일본, 필리핀 영상담당 해외봉사

캠핑카 전국일주 기획 및 팀장

엄마와 지지고 볶고 싸우며

10개국 배낭여행

☆ 이름을 소리 나는대로 부르면 키만소리

효밥 (김효섭)

이과 감성 로보트 남편, INTJ

딱히 하고 싶은 것은 없으나 막상하면 다 잘하는 편

여행 전 직업 : DB엔지니어

여행 후 직업 : 편집 디자이너

특이사항 : 무전여행 히치하이킹 전국일주 3회

방글라데시 IT담당 해외봉사

캠핑카 전국일주 현장담당

☆ 전국일주를 할 때

윤기나는 냄비밥 장인이 되어 이후 효밥 됨

Contents

2부 본격 여행준비 시작!!

3부 여행자 모드 On

4부 계획대로 되지 않는 것이 계획

5부 우리만의 여행을 찾았다!

Don't Stop→

1부

결심에는 이유가 없다

01

그렇게 결정하는 거 아니야

1-1 효밥의 꿈

효밥 10세
멈칫-
엄마! 나 손오공이 될 거야!!
초사이언!!
에네르기파~
내 꿈은 너로 정했다!

내 꿈은 대학 시절이 끝나지 않는 거야
효밥 20세
대학 최고!
酒

효밥 30세
시간이 왜 이렇게 안가냐 미치겠네 빨리 퇴근하고 싶다
퇴사하면 소원이 없겠다
이렇게 살고 싶지 않아

1-2 키만의 꿈

키만 10세
소원 빌었어?
응!! 당연하지!!!
최연소 작가가
되게 해달라고 빌었어!!
내 꿈을 꼭
이룰거야!
와~
멋있다~

키만 20세
소원 빌었냐?
F 학점
막아달라고
빌었지
나 집에서
쫓겨나면 재워줘
야 나도 F
같이 찜질방 ㄱㄱ

키만 30세
내 소원은
지구 멸망이다!!
내일 출근하기 싫어!!!
들어주지도 않으면서
왜 맨날 빌래!!
나이는 언제 이렇게
처 먹은거야!!
으아아아악!

1-3 시너지 효과

세상에는
시너지 효과가
존재한단다
만났을 때
시너지 효과를 내는
인간끼리 맺어줘야 해
콸콸
콸콸
그게
뭐예요?
일 대충 하는 줄
알았는데
아니네요
김한솔이

좋은 에너지를
붙여놓으면
긍정이 두 배가
되고
안 좋은 에너지를
붙여놓으면
무시무시한 일이
일어나지
야 너도?
야
나도!
으!
회사가기
싫어!!
으!
출근하기
싫어!!

앗! 엄청난
굉음!
펑!
허허
잘 봐두거라
시너지 효과가
얼마나 무서운지

그렇게 만난
두 사람은
결국…
파-지-직

싹
뚝
위잉
서로의 이성을
끊어놓는단다

결심했어!
세계 여행을
떠나자!!
오예~~
다 때려치우고
여행가자!!
예~!
에라 모르겠다!
쾅!
노는 게 제일 좋아♪ 친구들아 모여라♫

세계여행을
이렇게 가도
되는 걸까?
why
뭐 어때~
가고 싶으면
가는 거지
not?
그렇게 가는 거
아니야
이 미친놈들아
아…
무서운 시너지

02

결혼의 이유

2-1 자영업자와 직장인의 연애

오늘 저녁에
여행 스터디 알지?
퇴근하고 카페로 와

웅
바로 갈게

여기요~

← 일터가 카페

만나서 이야기 해

김대리

2
시간을 달리는 직장인
퇴근 하겠습니다!!
퇴근하면 뭐하냐 집에를 못 가는데
평일말고 주말에 하자
평일은 불가능해
알았어 주말에 카페에서 여행 준비하자

coffee
주말이다! 여행 준비 하자
살려줘!!
카페인…
얼른 내 놔
우어… 아메리카노 내 놔
허니브레드 세트 주서
나는 라떼

미안하다 일하기 싫다
자기의 일은 스스로 하자 알아서 척척척
빨…빨리 와서 서빙해 줘… 가…가지마 이 XX야…
여행 스터디 실패

2-2

효과적인 방법

하아…
해야할 일은 많은데
만날 시간이 없네
걱정 마~!
방법이 하나
있기는 한데
이러다가
세계 여행
못 가겠어
수북

이 방법이면
둘이서 오랫동안
여행 준비를
할 수 있지
그게
뭔데?!
당장
알려줘
영어 공부도 둘이
운동도 매일 같이
계획도 척척!!
하하
세계 여행 Book

결혼
만난 지도
얼마 안 됐는데
결혼이라니…
너 완전
미쳤구나…
궈궈?

나한테 미친놈
결혼도 여행도
질러~ 질러
덩
실
에헤라
풍악을 울려라~

03

여러분 저희 결혼해요

3-1 순서가 틀렸어

효밥이 오빠랑
사귄다며?
웅! 우리 같이
세계 여행 갈 거야
헉!
벌써 계획도
다 짜놨어~
속전속결ㅋ

혹시라도 같이 갔다가
헤어지면 어쩌려고…
일생에 한 번뿐인데
신중히 생각해 봐
걱정하지 마
찬찬히
생각해 봐
사람 일이
어떻게
될지 아무도
모르잖아

그래서
결혼하려고
돈 워리
내 말은
그게 아니야
넌 신중함이라는
뜻을 모르니

3-2 남자들의 표현 방법

나 여자친구 생겼다
오~ 이쁘냐?
축하
이번에 주식 봤냐
아~ 외롭다

결혼해서 세계 여행 가기로 했어
그나저나 소개팅 언제 시켜줄 거냐
부끄럽네~
어 그래 청첩장 보내라
시끌
거울 봤냐? 양심 있냐?
시끌

기대한 내가 잘못이지…
그래… 알아서 잘 다녀올게 이 X레기들아…
너보단 내가 더 잘생겼어 ㅋㅋㅋ
치킨이나 먹자
애인 없는 이유가 저거네

3-3 결혼을 반대하는 진짜 이유

⊕ 효밥이네 이야기

예식장 잡고 처음 만남 ^^
지금 생각해보면 허락해주신 부모님들
대단쓰... 리스펙

〈보너스 만화〉

제주에서 만난 인연

그렇게 우리는 여행으로 이어진 가족이 되었다

04

착한 거짓말

4-1 결혼 준비 시작

너 상태가
왜 그래?
우리 결혼에 필요한
자료 좀 찾아봤어
새벽까지
찾느라 잠을
못 잤어
쿠잉~
나도 예산
짜왔는데
먼저 말해봐

내가 뭘 찾았냐면~
올해의
웨딩 트렌드
꼭 입어야하는
명품 드레스
best 3
신부들의 로망
은방울 꽃 부케
물러가라
악마야!
그만!!!
아오!
블로그에 '예산'이라고
치면 안 나오는 게 없어

결혼식 전까지
블로그 검색
금지야!!
안돼!!
나의 잇님들~
쓸데 없는
정보만 알아왔네
이거 다 광고잖아!
블로그 삭제
흐엉~
어떻게 모은
정보인데 ~!!

4-2

여행자의 결혼 예산

블로그를 멀리하고
예산에 맞게 알아보도록~
여행 경비를 감안한
우리의 결혼 예산을
내리겠다
← 우리 집 경제왕
녜이~

기만과 호밥의
결혼 예산안
본인의 힘이 닿는
곳까지 셀프로
준비하도록 하라
그래도 어려울 경우
200냥을 사용하도록
이걸로 뭘 합니까
적어도 너무
적습니다요!!
에헴-
가능한 선에서
짠 예산이다
싫으면 여행가지
않던가
결혼이 애들
소꿉장난이냐?!

내가 왜 이런 시련을
너에게 주었는 지 아느냐
진실을 알려주마
뭐긴 뭐야
돈이 없어서지

너는 뭘 입어도
아름답기 때문이란다
너는 최저가를
최고급으로 만들지
어머♡
그런 이유라면
제가 힘 좀
써보겠습니다

퀘스트를 수락했습니다
결혼식장
비수기 예약
무료 대여
제주도
웨딩 촬영
액자
셀프 제작
청첩장
셀프 제작
예물 반지
최저가 득템
아다다다다-
해낸다-
으아아아-

쿨럭…
우리 미래를 위한
좋은 거짓말이었다
푸악-
양심
양심
유혈 사태
예산을 더 쪼개고
쪼개라!!
그만해…
여기서 뭘 더
줄여…

기어이 해내는구나 이 독한 것들
짜~ 해냈다

〈보너스 만화〉

개념 부부의 속사정

안-돼!!
쓰는 김에
스무 배? 콜?
체!

2부

본격 여행준비 시작!!

05

얼마나 오래 여행 할 수 있을까?

5-1 예산부터 짜볼까

World travel~
본격적으로 세계여행 준비를 해볼까!
내 밑으로 모여!
꺄~ 신난다 여행가자

여행에서 가장 중요한 것은 예산! 바로 돈!
아니야~ 돈보다는 떠나는 용기가 더 중요하다구~
얼마 모았어? 얼른 불어!
내 마음을 받아라~
오늘은 내가 김총무!

아~ 너무 좋다~^^
비록 돈이 없어도 마음만 있다면 어디를 가도 우리는 행복할 거야
닥쳐
상상해 봐~ 돈이 전부는 아니야

네가 자꾸 헛소리를 하니까 마음이 너무 불안하네
솔직히 말해 봐 예산이 얼마야?
그럼~그럼~
예산은 그저 예산일 뿐이야
왈왈
말해도 진짜 괜찮아?

괜찮아~ 우리 예산에 맞춰 계획을 짜면 돼
뒤에 0을 빼 먹은게 아니니?
통장에
만원
있어
아니! 이거 맞아

네 관부터 짜자!!!
퍽ㅡ
네 인생 스튜삣!
펀치...

5-2 이민 가니?

휴…
예산이 넉넉하지 못하니
기간과 나라에 맞춰
계획을 짜야겠다
여행 기간은
최대한
길게 잡자~~
1년은 너무 짧아
이동 경비가
더 들걸?
좋은 의견!
이제야 정신을
차렸나 보군

나라 찍기만 하고 돌아오는
여행은 싫어~
오래 머물면서 그 나라를
제대로 이해하고 싶어
여행은
살아보는 거라는
말도 있잖아~
나도 동감이야
그럼 2년?
얼마나
길게 가고
싶은데?

30년
인생의 한 번 뿐인
기회를 놓칠 수 없어
타협은
없다
그건
이민이야
이 지옥에서
탈출한다!

정신 안 차릴래??
허파에 바람만
잔뜩 들어서는!!
아오!
흐힝~!
그…그럼 30년 말고
3년!!

06

내 이럴 줄 알았다

6-1 할 수 있을 때까지 미뤄보자

6-2

카운트는 시작되었다

피-유우우우-

와~
하늘에서
떨어지고 있는 거
보여?
찰칵
와~
저게 도대체
뭐지?
별똥별인가?
슈-슈슈슈-

뭐긴 뭐야
발 등에 떨어질 불이지
망했다!
시간이 언제
이렇게 갔지
흐엉
어떡해
아무것도 안 했는데
세계 여행 D-7

지금부터 여행 준비
비상령을 선포한다!!
Yes
I can do!
이제와서
제대로 되겠냐
D-day 7

〈보너스 만화〉

정당한 무임승차

부부 세계 여행에도 무임승차는 존재한다
우리 도착한 당일 호텔만 오빠가 예약해줘 공항에서 가는 길도 알아봐~
아니 그럼 도대체 넌 뭘 하는데?

하지만 자본주의가 결국 이긴다
퇴사못함
돈 번다 불만있냐?
우리 여보~ 여행 경비 많이 벌어오세요~
키만

너무 빨리
먼저 퇴사한 자의 나홀로 여행 준비
퇴사했는데도 왜 바쁘냐…

07

배낭을 싸보자

7-1 각자의 우선순위

빈틈 놓치지 말고 꼼꼼하게 배낭 잘 싸
짐싸니까 정말 여행 떠나는 거 실감이 난다~
걱정마~ 나 여행 고수야

내 배낭은 자리가 부족한데 공용 용품 여기다 더 넣어도 돼?
고마워~♡
응 가져와
내 배낭이 10리터 더 크니까

난 머리 꼭 말려야해 드라이기 챙겨!
여행 필수 구급약~
야 잠깐
...
빗도 넣어줘
목욕세트도 넣어줘~
침낭도 같이 넣어
여기~
너무 무거워

키만 40L + 효방 50L = 90L
벌써부터 배낭이 꽉 차면 곤란한데 뭔가 잘못되고 있어…
확인을 해야겠어

키만아 배낭에 뭐 넣었니?
여행에 진짜 필요한 것들만 엄선해서 넣었지
뭔가 이상해
세계 여행을 위한

(나만의) 여행에 필요한 것들 ㅋ
지금이라도 그만둘까?
남는건 사진이야

7-2 우리의 여행 배낭을 위하여

어이X
다음에는
입술 맴매로
부탁해요

〈보너스 만화〉

실전 배낭싸기

08

시간은 없고 할 일은 많다

8-1 반쪽 항체

제1 진료실
어떻게 오셨어요?
A형 간염 주사 맞으려구요!

제1 진료실
항체 검사부터 하고 다음 주에 결과 나오면 그때 다시 오세요
네?! 오늘 못 맞아요??
2층 가서 채혈하고 오세요
엇!
안 돼!

뭐야… 이 진상들은!!
선생님 제발 오늘 주사 놔주세요
제 몸에 좋은 녀석이 있을 리 없어요
시간이 없어요 살려주세요…
제 몸은 제가 알아요!! 쓸모있는 항체가 있을 수 없어요

제1 진료실
항체 없는
키만님만
주사 놓겠습니다
지난 주에
없다고
말씀드렸는데
A형 간염
흥!
시간도
없는데!

6개월 후에
2차 접종
맞으러 오세요
내일 모레가 출국이라
맞으러 못 오는데
어떡해요??
아오씩

그러면 죽지 말고
살아달라고
기도하던가
시간 많을 때
미리 좀 맞을걸!!
죽지 마아아아아!
꼭 살아아아

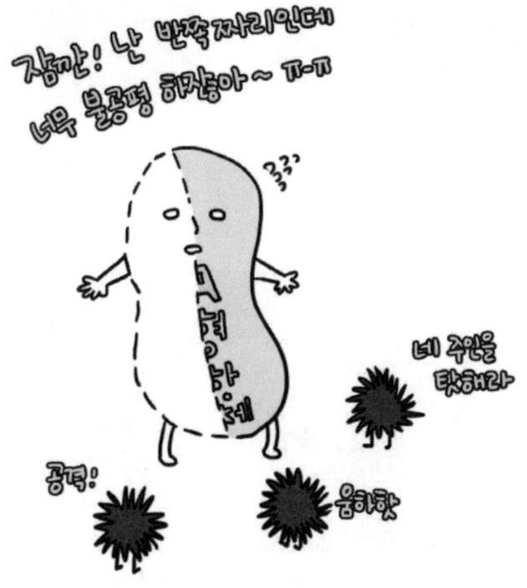
잠깐! 난 반쪽짜리인데
너무 불공평 하잖아~ ㅠ-ㅠ
ㅋㅋㅋ
네 주인을
탓해라
공격!
움하핫

8-2 이렇게 된 거 한 방에 간다

동시에 예방 접종
맞으면 힘드실텐데
괜찮으시겠어요?
견딜수 있어요!
시간이 없어서
그냥 한번에
해주세요

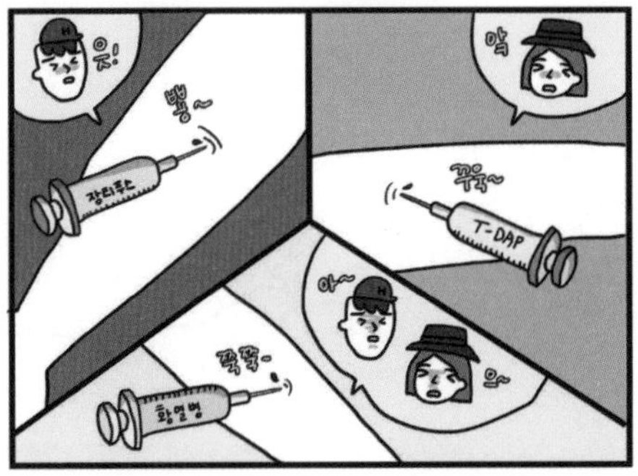
읏!
뿅~
장티푸스
악
꾸욱~
T-DAP
아~
으~
쭈욱~
황열병

주사 세 개를
동시에 맞았으니
조금 뻐근할 거예요
안 맞고
여행 가는 것보다
뻐근한 게 낫죠
감사합니다~
몸살이
올수도 있어요
조심해요
꾸벅
걱정
NoNo~

한 큐 예방 접종 맞은 그 후의 이야기

아플 줄 알았는데
생각보다 괜찮은데?
이 방법 괜찮다!
하하하

<한 시간 뒤>

이..이상하다
팔이 점점 욱씬거려
ㅠㅠ
세 방을 연속으로
맞고 무사할 줄
알았냐?!
역시…
무리였나…
몸살에
기절한다…

※전국의 게으름뱅이님들 따라하지 마세요

09

떠나기 전 마지막 할 일

9-1 신혼집 정리하기

저는 여행의 필수품 배낭입니다
통과~ 지나가세요
PASS
옷을 담은 박스애오
다음~

마음 먹고 정리하는 것 같은데 우리가 통과할 수 있을까?
STOP
버려~!
정리해!
걱정
당연하지! 우리를 얼마나 아꼈다고!
으앙~
우리는 절대 버려질 수 없어

미니멀 라이프에 적합하지 않은 분들은 사전 신고하세요
토..통과 시켜.. 주세요!!
함께 가자~
어라 너희는!
통과목록

오! 너희들은
세탁기와 냉장고구나~
찾았는데
여기 있었구나
훌러덩~
그래!!
우리 기억하지?
휙~

우리는 신혼부터
쭉~함께 했었잖아
평생 함께 가자~
여행 다녀와서는
더 좋은 걸로 사야지
드럼 세탁기랑

끌어내
사랑이 어떻게
변하니?!
어차피 팔아버릴려고
중고로 산것뿐... 사랑은 없었어

9-2 집 팔고 차 팔고

세상에서 제일 소중한 녀석~♡
이번은 나야~ 나는 종이 한 장이라서 신경 쓰지 않아도 돼
짜잔!
어디갔다가 이제 온 거야~♥ 한참을 찾았잖아!
나 왜 찾았어?

너를 처리해야 우리가 여행을 갈 수가 있단다
전셋집 살려! 꺄아아아악!!
전세금 좀 넣어주세요~
계약서 확인 했습니다

다음은 누구냐!
언제 돌아올지도 모르는데 남겨둬서 뭐하냐!! 남은 거 모두 뿌셔 뿌셔!!
파열이다!! 모두 정리하고 미련없이 떠난다!

세계 여행 D-1
모든 것을 정리하다

〈보너스 만화〉

끝내 정리하지 못한 것

다 정리했지만 각자의 성질머리는 정리 못 했음...

10

결국 그 날이 왔다

10-1 행복한 오해

걱정마세요!
잘 챙길게요
몸 조심하고
아프지 말고
알았어~
아프면 바로
병원가야 한다

……
……
……
우리 딸…
엄마…
훌쩍…

어엉엉~
엄마~아빠~
엉엉~
우리 또
언제 보니~
으아앙~
우리 딸 없이
어떻게 살아
다신 못 보나 봐
안타까워라
놀러가는
주제에
이상한 오해
만들지마

10-2 처음부터 삐걱

오후 2시 방콕행 비행기 예약했어요
편도 티켓으로 예약 하셨네요?
네! 맞아요
아…
어쩌지…

태국은 리턴 티켓이 없으면 입국 거절 당할 수도 있습니다
저희 쪽으로 이동할 건데
네에에?! 어떡해요?

세상에서 제일 아까운 취소 수수료
한국행 티켓 끊고 취소하세요

10-3 첫 나라부터 귀국할 수 없어

우여곡절 끝에 어쨌든…
세계 여행 추…울발!

11

우리의 여행은

11-1 입국 심사는 언제나 떨려

11-2 아까운 취소 수수료

11-3 기분좋은 출발

우리 여행 좀
불길하지 않아?
시작부터가
꼬이잖아
여보세요?
△△항공사
입니다
뭔데?
잠깐

고객님~
당일 구매한 티켓이라
환불 처리 되었습니다
즐거운 여행 되세요~
??!!!!
!!!!

우리 여행이
뭐 어떻다고?
운수대통이요!!
시작부터 느낌이
좋습니다~

3부

여행자 모드 On

12

설레는 여행 첫 날

12-1 나도 이럴 줄은 몰랐어

여행 시작이 좋구나~

[1A] Bus station
[2D] Train gate 2

옛썰!

호텔로 가야하니까 배낭 메라

무거워서 힘든데 우리 잠깐만 쉴까?
버스 타고 걸어가면 되겠다
어깨가 아프네
움찔

진짜 배낭 메고 여행 갈 수 있겠어?
내가 20대에 배낭 메고 유럽을 누빈 사람이야
숙소는?
큰 소리
가장 싼 방으로!!
내가 너 이럴 줄 알았다
아직 공항이니까 비행기 타고 한국 가서 영원히 쉬어
칫! 이럴 때만 기억력이 좋다니까

12-2 창문 있는 방의 비밀

12-3

20대와 30대 여행의 차이

어쩔 수 없이 헤어지지만
내 마음은 언제나
20대일거야!
그래! 내일부터는
창문 있는 방에서 자~
30
20

13

디지털 노마드의 시작

13-1 행복한 여행자

잘 도착했니?
태국은 덥지?
잘 먹고 잘 있어요
한 달 살 집도 구했어요
더워요~

돈 아낀다고 이상한 곳에서 지내지 말고
그럼요~ 걱정하지 마세요
발품 팔아 집 잘 구했어요~

엄마…
아무래도 천국에 와 있는 것 같아요
15$에 이런 호사면 이상한 곳 맞는 거 같기도 해요

그래~
좋아 보이네~
집에 수영장이
있어서 아침마다
운동도 하고
즐거워요~

소리는
뭐하고 있어?
쓰윽~
아~
키만은…

나도
수영하고
놀고 싶어!!!
꺼내줘!
쾅!
쾅!
일하기
싫어!!
가장의 역할을
수행하고 있습니다

13-2 내가 원한 여행은 이게 아니었어

쓸데 없는 생각말고
빨리 그림이나
그리세요
젠장!
젠장!!
일하기
싫어!
세계 여행과 동시에 본격적 노동 시작

사실 여행와서
일하는 것보다
짜증나는 것은
따로 있어
그것만 생각하면
아주 속에서
열불이 나

너만
여행 왔냐
바로 저 놈!!!
여행 꿀잼~

금방 끝날 줄 알았던 작업은
7개월 후에 끝이 났다고 한다...

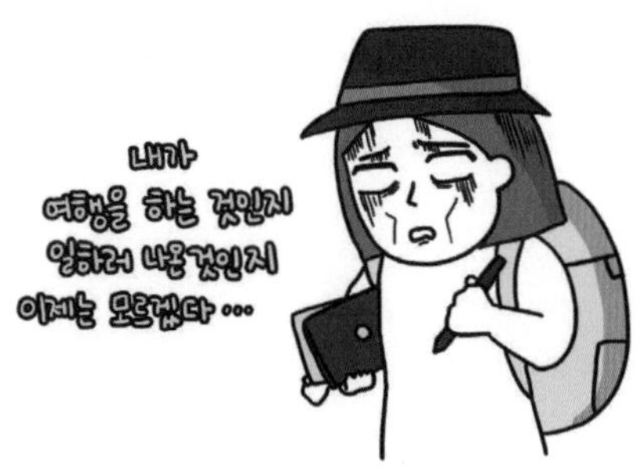

내가
여행을 하는 것인지
일하러 나온것인지
이제는 모르겠다...

14

방콕의 대중교통

14-1 고민할 필요도 없이

너무 더워~
버스 기다리다가
녹아버릴 것 같아
메트로 탔으면
벌써 도착했겠지?
후끈~ 후끈~
사서 고생중

부-웅-!
앗!
버스 왔다!
버스만 30분
기다렸어…
이렇게 고생해서
얼마나
아낀 거지?
땀이
줄줄 난다

버스 차장이 없어서
요금 안 냄ㅋ
메트로
못 타겠는데?!
보람차다!
이게 뭐라고
이렇게 뿌듯하냐
헉

14-2 공짜 버스와 맞바꾼 것

14-2

소탐대실

고생은 하지만
아끼는 재미가
있네~
이렇게 아끼면
여행 3년도
거뜬하겠어!
티끌 모아
태산이잖아!
하이파이브
스윽

사와디카~
나 여기있다카~
돈 내라카~
후후~
나를 쉽게 봤군
어디서
튀어 나온거야!
안-돼!!
이게 진짜일 리
없어!
꺄아아

우리
뭐 한거니…?
결국 시간과 건강
돈까지 다
잃었다
차장 없는 버스 티켓다고
투자한 시간이 아깝다…

개처럼 아껴봤자
물가 비싼 유럽에서
한 방에 날아가니

동남아에서는 어리석은 짓은
사양하고 물가를 즐깁시다

15

여행자라면 거쳐야 하는 신고식

15-1 생수 셔틀

효밥아
생수 다 마셨어
물 사가야 해
작은 걸로 되겠어?
6리터 짜리로
사자

물 사다 나르는 것도
은근 일이야
태국은
물갈이 때문에
어쩔 수 없어
401
힘내!
거의 다
왔어
덥다~
후~목 말라

아~
무거운 거 들고
왔더니 목마르다
콸~ 콸~
아껴서
마셔!!
또 가야하잖아!!

15-2

1바트의 오아시스

빅 뉴스야!
효밥아!!!
내가 오아시스를
발견했어!!
또 무슨 사고를
치려고 저래
하…
듣기도 전에
걱정된다

B1
1바트
정수기가
있더라고!!
이제 우리 물 때문에
고생 안 해도 돼~
밖에 나가서
물 사올 필요없어~!
흠…

이 구역의 하마는
나야 나♪
이제부터
하루에 2리터씩
마셔도 돼
쮸-압!
걱정되는데…
괜찮으려나

15-3

후룸라이더 출발

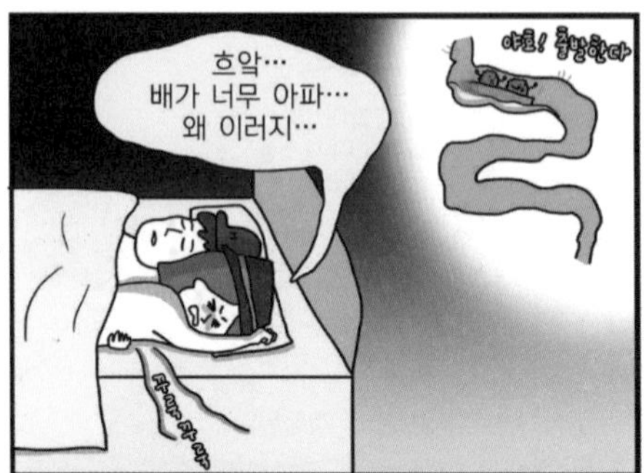
흐악…
배가 너무 아파…
왜 이러지…
야호! 출발한다
꾸룩꾸룩

대장
후룸라이더
출발합니다!
예~! 달려라
가즈아~!
하…읍!
꾸룩꾸룩!

엉덩이도 터졌다!
푸~슈슈슈ー슈ー욱!
젠장

쏴아아아아아
엉덩이는 죽은 것 같애
살아있니?
크와와라랑!
두두두두두—둥

16

한국인은 어디에나 있어

16-1 현지인 찬스

방콕에서
느끼는 1500원의
행복~
해외에 나온 게
실감나~
톡

와우! 효밥아
내 대학 동기가
방콕에 살고 있대!
만나자고
그래!
그럴까?
너무
맛있다~!

1년 넘게 방콕에
살았다고 하니까
거의 태국인이겠다!
드디어 너도
쓸모있는 날이 오네
오~
현지인 찬스!
내일
만나기로 했어

안녕~?
오랜만이다
태태야~
여기야~~
키만아~
여기서 만나니
더 반갑다
이야~
잘 지냈어?
아니…
근데 너
스타일이…

그런데 너…
태국 사는
사람 맞아??
왁스로 힘 준 머리
하얀
피부
이 더운 나라에서
긴 셔츠 스타일링

태국 사람이 요기잉네?
세계 여행
한 지 얼마나
됐다고?
헤헤
한 달?
여기에 사세요?

16-2

모든 걸 흡수했다

여기서 왼쪽으로 꺾고캅~
사거리에서캅~
내려주세요캅~♡
알았다캅~
쏼라 쏼라
유창한 태국어
우와!
너 태국어
진짜 잘한다
우와! 최고다
겉모습은 한국인인데 속이 태국이네

그런데 태국어가
원래 그렇게
나긋나긋했나?
꼭 태국 여자처럼 말하는 것 같아
?
아 그건
말이야~

나도 모르게
여자 선생님
말투까지
배워버렸네☆
스폰지같은 나의 흡입력!
그런 건 배우지 말라고

16-3 지구촌 마을

후배 트도 카오산 로드래!
여기로 불러~
오늘 완전 대학 모임이네
언니~!
여기야!

와~대박! 여기서 다들 보네요!
여기 태국 맞아요?!
오늘 불금을 태워보자~!

언제부터 카오산 로드가
홍대 앞이 되었나
♬ 여기 붙어라 모두 모여라 We gon' party like ~♪
더 마셔!
이 모임 실화냐?

이쯤되면 방콕이 아니라 방콕리단길

17

위기 봉착

17-1 경제부장의 탄생

27바트 입니다
어…어? 잠깐만…
20바트짜리 지폐 있잖아 5바트랑 2바트 동전같이 내
버벅~
아니 이걸 왜 끙끙대고 있는 거야

계산하다가 대가리 쪼개지겠네
27바트면 우리나라도 치면 얼마지?
27×33.68=???
문과갬성
어휴 그냥 나와
이건 문과랑 상관 없거든?

세계 여행의 모든 회계는 내가 맡는다
쓸모없는 녀석!!
피-싱-*
효밥♡
남편 덕질~
결혼 잘했다~
경 제 부 장

17-2 준비된 남자

효밥아!
우리 환전한 돈이
다 떨어졌어~
후후~ 오늘을
기다려왔다
내가 누군가?
경제 부장 이야~!
텅~텅
경제부장

동남아 여행의 필수템
수수료가 낮은
카드를 준비해왔지
멋짐 폭발!
※ 광고 아님
CARD
어머♥
언제 그런 걸
준비했대?!
최고야!

네가 12시간씩
쳐 잘 때
만들었지
여행 준비
안할거니?
드르렁~
드르렁~

잠깐!
저기 ATM이
보이는구나~
멈춰라~
예~예~
하차 준비
하겠습니다

내 덕에 수수료 없이
인출하는 줄 알 거라~
생
색
예예~
감사하게
생각하고 있습니다
ATM

어라…?
왜 이러지
삐익
삐익
ATM
아…
안 돼
?

17-3

왜 쓰지를 못하니

비번 틀려서
카드가 먹혔어
잘 먹었습니다
ATM
어떡해
…?
꺼억

3번이나
틀렸어?
카드 못 꺼내?
앞으로 계획은?
똑같은 번호를
3번 눌렀어
꺼내도 못 쓸거야
수수료 많이 내고
출금ㅋ
웃어?
하하하

너 해고야
임마
우리 경제 부장님
정신 좀 차리게
해드려야겠네
쓰-윽-
경제 부장
자.. 잠깐!

써먹어 보지도 못하고
출금 카드와
경제 부장 동시 사망
으억...
경제부장

CRIME SCENE

CRIME
SCENE CRIM

4부

계획대로 되지 않는 것이 계획

18

여행자에게도 불금이 필요해

18-1 주말은 못 참지

오늘따라 일하기 정말 싫다~ 나가서 놀고 싶다
너 맨날 일 안 하잖아
어이X
누가보면 오늘만 하기 싫은 줄 알겠네

됐고!! 불금에 무조건 밖에 나가야 해!!
여행자한테 불금이 어딨냐
Friday
일 안해! 나갈거야!
그래… 나가자
저러다 월요병까지 챙기겠네

잠깐 기다려!
준비 완료! 나가자
누구시죠?
파우치 준비
쓱-쓱
싹-싹-
외출용 얼굴 완성!

18-2

춤은 언제나 통한다

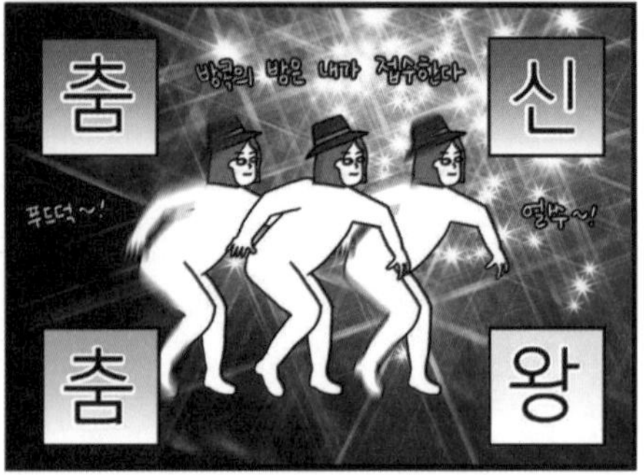

언제 다
마셨지?
춤을
열심히 췄더니
맥주가 땡기네~
스-윽-
이거
마셔카

마셔라캅~
같이 놀자캅~
맥주 주문은
댄스로 해주세요
술은
걱정 마
여깄어카~
콸
콸
콸콸

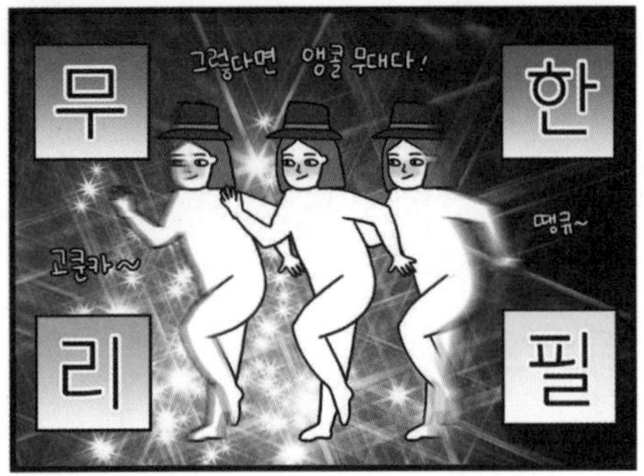
무
한
리
필
그렇다면 앵콜 무대다!
고큰카~
땡큐~

18-3

날 말리지 마

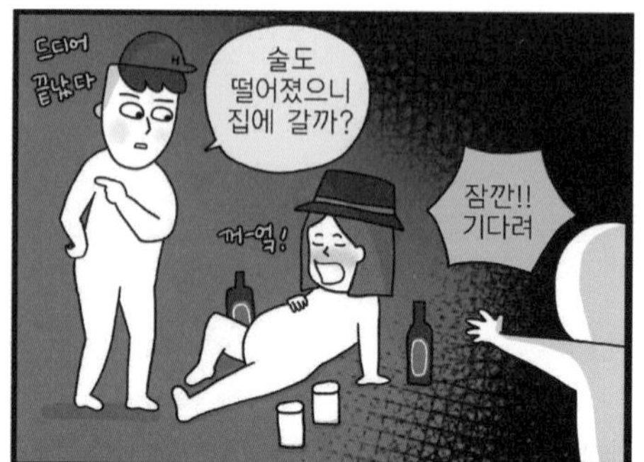

드디어 끝났다
술도 떨어졌으니 집에 갈까?
꺼-억!
잠깐!! 기다려

널 위해 준비했어~ 마음껏 마시렴카~
나 매니저인데 술 더 줄께
오늘 매상 좀 올려보자
어머나♡

으엉@#$ 효밥앙 나 더 마실거야 #^*꺼야~!
그만 줘 미친놈아!! 꽐라되면 나만 힘들어
와장창
퍽!

해외까지 나와서
뭐하는 짓이냐
한 번만 더
불금 타령하면
죽여버린다
으어억~
입 다물어라
효밥아
나 토할 것 같아

19

최악의 숙소

19-1

칸차나부리로 출발

19-2

자연친화적 숙소

숙소 찾기 실패!
도착해서 발품팔아 숙소 찾으려고 했는데 완전 망했다
비가 내려서 움직이질 못하겠어
오늘은 여행자들이 많이 가는 숙소에서 하룻밤 자자
칸차나부리 검색하면 많이 나오는 곳이야

비도 오고 시간도 늦었으니까 좀 싸게 해주면 안될까??
가격 흥정 실패!
안 돼!
우리 숙소 방갈로야

자연친화적인 방갈로네
어쩔 수 없으니 여기서 묵자

불 좀 켜봐
우르르-!
못 찾겠어

우르르 쾅쾅- 번쩍!!

이렇게 자연친화적인 건
원하지는 않았어
끼야악!
와장창!
끼악

19-3

그녀석과 동거

탈출 실패
피곤하고 졸린데
벌레때문에
못 자겠어
나 혼자두고
잠들지 마ㅠㅠ
무섭단 말이야
목 마르다
마시지 마
화장실은 더
심각해

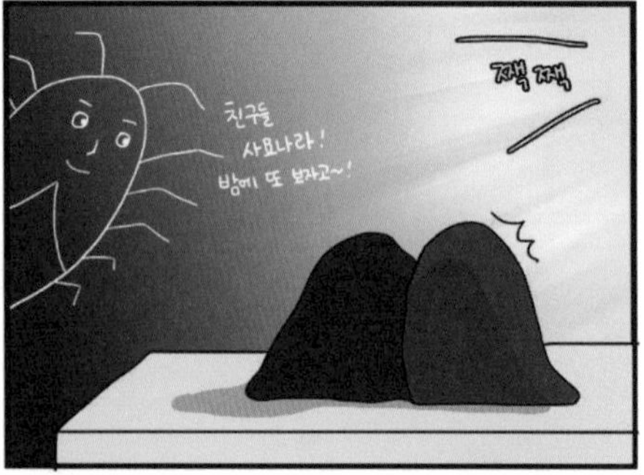
친구들
사요나라!
밤에 또 보자고~!
째깍 째깍

하루가 백 년 같았다
타…
탈출이다!!

빨리 여기에서
도망가자!!
바퀴벌레가
없는 곳으로
가자!
찬성!!
나도 찬성!

20

다 이유가 있다

20-1

그까짓 날씨

아유타야에 가면
하고 싶은 거 있어?
평범한 거 말고 조금
특별하게 여행하고 싶은데~
자전거 빌려서
유적지 투어 해볼까?
평범한 여행은
싫어~!
버스로
이동중-

아유타야 지역이
태국 3대 불지옥이라고
불릴 정도로 덥다는데
더운 동남아에서
자전거는 무리아닐까?
왠지 내가 또
수습해야 할 것 같은데

우리가 어떤 민족입니까!
초미세먼지와 동남아 습기
그리고 시베리아 강추위를 겪는
한국 사람에게
이 정도 날씨쯤이야!
자신있게
훗!
고집불통...

나만 믿어!
하하하하하하
지글
지글
웰컴 투 Real
동남아~!

20-2

3대 불지옥 아유타야

막상 버스에서 내리니까
날씨가 덥긴하네…
그래도 자전거 타면
바람 불어서 시원할 거야!
하핫
직접 해봐야 알레니
그…그래
네가 원하니까 해 봐
저기 렌탈샵 보인다

어? 자…잠깐
땀이 미친듯 흐른다
차..참아봐…
꼭 타고 싶단 말야
주륵- 주륵-
힝~ 포기못해

이건 미친 짓이야
지금이라도 멈춰!!
으어어…
탈…거야…
날 막지마…
Help me~!

불지옥 하이패스
으아악~!
GoGo!
이열치열!

20-3 멀리서 봐야 좋다 너도 그렇다

21

반드시 배워야 할 것

21-1 나에게는 재난상황

21-2 수영 특훈

어쩌면 인생에 단 한 번뿐인
우리의 세계 여행을 200%
즐기려면 무엇이 중요할까?
너무 쉽네~!
나?
그··그것도
맞아

바로 수영 기술이야!
지구의 반은 바다라고~
수영을 못하면
발리의 바다도
멕시코의 쎄노떼도
아무것도 즐기지 못 해
다시 돌아오지 않을
이 시간을 꽉꽉 채워서 즐겨야해
혼자 멀리서 보고만 있을거야?

자!
얼마나
멋있어!
상상해 봐~!
비키니만 입고
자유롭게 바다를 누리는
너의 모습을~!
우와~!

좋아!!!
오늘부터
수영 특훈이다!!!!
전 세계의 멋진 바다를
모조리 즐겨주겠어!!

21-3 이제 무섭지 않아

더 힘차게!!
자세 똑바로 유지해
바다를 얕보지 말라고
어푸~ 어푸~

좋아! 많이 늘었어
이제는 바다에서
실전 연습이다!
엇쌰!

예전의 내가 아니야
구명조끼 던져브라~!
휙-!
매일 아침마다
연습했으니
잘 할 수 있어

바다야 기다려라!
예이!!!
뒤처리 탈출이다!!
예쓰!!
나만의 여행을 즐겨볼까

까아아아~!
자유다

22

배낭여행자의 로망

22-1 라오스 국경 버스

비행기 안 타고
슬리핑 버스로
라오스 국경 넘을거야?
나중에 남는 건
고생한 추억이야~
배낭여행자라면
한 번쯤 해 봐야지!
또 시작이네
걱정이다
의욕
만땅

캬~ 얼마나 재미있을까
휴게소에서
야식도 먹자~
게다가
세번 갈아탐
태국 빠이에서
루앙프라방까지
27시간 걸린대
삼시세끼
먹어도 될 듯
27시간?!
많이 먹어라

27시간이라고 해도
슬리핑 버스타고 한 숨 푹자면
생각보다 시간도 잘 가고
편할 걸?
90도 좌석 버스
하핫
라오스
국경부터는
한국 중고
관광 버스래

꼬질~ 꼬질~
난 분명
말렸다
내 로망을
깨부시지 말라고!!!
흐잉~!

22-2

고생 끝에 낙이 있을까

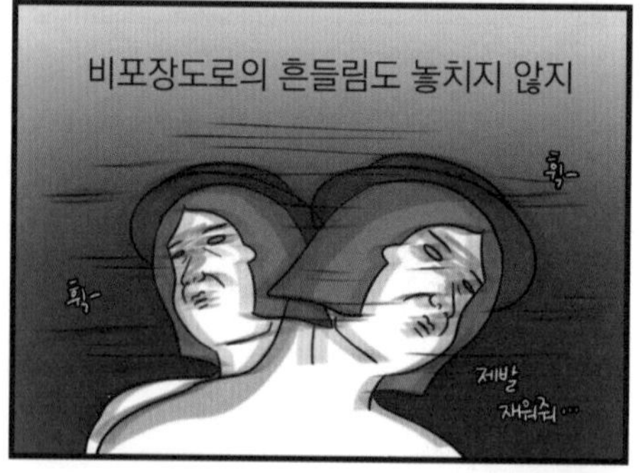

22-3 매콩강 원정대

생각보다 관광지라 아쉬워 방비엥은 여기보다 더하다는데 새로운 곳 없을까?
블로그 말고 어디서 여행 정보를 찾아야 할 지 모르겠어
!

hey bro~ 나 미쿡에서 온 한쿡인~ 캐리어 하나 들고 장기로 여행 중~ come on 새로운 여행을 찾는 것 같은데 내일 우리랑 여행 갈래?
헉! 이게 바로 말로만 듣던 곰 여행!
어디가는데?

메콩강에 배타고 가야 들어갈 수 있는 므앙러이에 갈 거야~ 계획 no~목적지 하나만 정하고 그냥 just go!
즉흥여행 멋있어!
여행 고수의 향기가 난다

메콩강 원정대 결성!!! 자 이제부터 진짜 모험이 시작된다
우어어 어어어
Yeah
Si
はい
네~

원정대 결성
축하 파티부터
하자~
내일 여행은
내일 생각해
우선
마셔라~
마셔!
현장에 가면
다 해결되겠지
맞아
무계획이 계획이다

숙취와 함께 출발합니다
여행자들이라
아침에 모이긴 모였음

헉! 계획없이 왔더니
마지막 배 시간을 놓쳤어
어쩌면 좋지
CLOSE
BOAT
좀 알아볼걸

다른 선착장에
데려다 줄까?
오늘 배 탈 수 있어?
우리 거기로 데려다 줘
Hi
오~! 대박
역시 다 가게 되어
있는거야
저기 봐!

22-4
첫 사기를 당하다

여러분 다 도착했습니다~
이제 내리세요~!
숙소비는 10불입니다~
속았지롱
모야?!
여기 선착장
아니잖아!
으!
으!

배는 이미 끊겼어~
내일 데려다 줄게
얼른와~
……

여긴 배 안타면
갈 곳도 없어~
그러게 누가 늦게 오래
술이나 마시자~
술은 서비스★
막판에
돈 좀 벌었네 ♪
시원한 라오비어
한 잔씩 해

부들부들
짜증나!
처음으로 사기 당했어!
공짜 술이면
다 되는 줄 아나!
분하다

22-5

뛰는 놈 위에 나는 놈

계획이 없다는 것은
새로운 계획이 반드시 생긴다는 뜻
가끔은 이렇게 여행해도 괜찮아 :)

23

여기가 오늘부터 우리 집

23-1

너가 거기서 왜 나와?

23-2

오지마을 홈스테이

세계 여행 100일만에
라오스 북부 오지마을 입성

23-2

삼시세끼

오늘 점심은
라오스 현지 스타일로
먹어볼래?
잠도 재워주는데
밥까지 챙겨주다니
정말 고마워!
<- 어
집을 내어준
현지인 '던'
편히 쉬고 있어
내가 도울 수
있는 일이
있을까?

우리집에 와줘서
내가 더 고맙지~
기대해도 좋다
아주 놀랄테니까
끼-익-
가만있어 보자
도끼가
어디있더라

요리하는데 도끼를 왜 찾지?
부엌에서 들리면 안 되는
소리가 계속 들려…
두렵…
퍽퍽!
우지끈!
팍팍!!

아 맞다
여기 가스가 없지
아씨 진짜
삼시세끼다!
휴 다행이다

23-3 라오스 가위손

머리가 많이 자라서 지저분한데 미용실 가려면 혹시 배타고 시내로 나가야해?
이 마을엔 당연히 없겠지?
하하하 무슨 소리야 여기에도 있어
아주 가까이에 있어~!

가만히 있어~ 가위 들고 금방 갈테니까
지금이라도 그만둘까
내가 바로 미용사
비닐
바닥

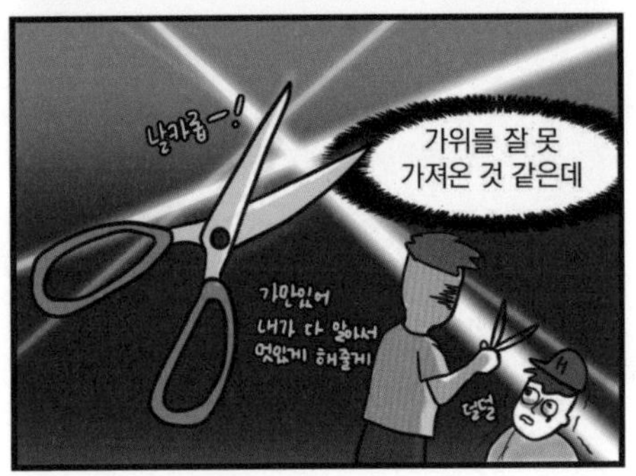

날카롭—!
가위를 잘 못 가져온 것 같은데
가만있어 내가 다 알아서 멋있게 해줄게
덜덜

장인은 도구를 탓하지 않지
내가 바로 라오스 가위손!
오!
실력 무슨 일!

23-4

아무것도 없기에 비로소 보이는 것

아무것도 없다고 생각했던 곳에서
마주한 아름다운 밤 하늘
우리의 밤은 오래동안 반짝였다

24

여행이 알려준 것

24-1 그 남자의 취향

나는 나를 잘 안다고 생각했는데
긴 여행을 통해 나도 몰랐던
나의 취향을 발견했어!
여행은 놀라워
어떤 취향?

가령 내가 미처 알지 못했던 음식 취향!
내가 이렇게 쌀국수를 좋아하는
사람이었는지 몰랐다니까!
후루룩~
길거리에 앉아서 먹는 1500원 쌀국수도 최고야~!

또 쌀국수에 고수를
팍팍 넣어 먹는
취향이라는 사실!
고수 최고!

그리고 쌀국수는
아침, 점심, 저녁, 야식으로
먹어도 계속 후루룩
넘어간다는 것~!
국물 최고야
후루룩~

15일동안 45쌀국수

그건 집착이야
1일 3쌀국수 x 15일 = 45그릇
보는 내가 다 물린다

24-2

막을 수 없어

1박에 3불짜리 캡슐호텔!
하루 정도 머물기엔
이만한 가성비가 없지
꺄~ 기대된다!
1인용

답답할 줄 알았는데
생각보다 넓고 쾌적하잖아?
이거 이거 둘이서 자도 되겠어
하하하하하하하하~!
오~!

OPPS~! BABY~
WOW, AH…!
WOO~
앗! 이 소리는!

청춘이구만
으흠~!
역시 한계란
없는 법(?)

24-3

부부 여행자의 단점

coffee
CAFF
Today Menu!
chef's

5부

우리만의 여행을 찾았다!

25

조금씩 변해가고 있어

25-1

대도시의 편리함

오~ 대박! 베트남에서
인도네시아 직항편보다
말레이시아 경유하는
코스가 훨씬 싸!
우리는 시간도
많으니 말레이시아
들렸다 넘어가자!
다음 여행 준비중
예~!

항공편을 미리 예약하지 않으니까
이렇게 경로도 마음 편하게
바꿀 수 있고 좋네!
그게 바로
즉흥 여행의
매력이지!
어디로 튈 지
몰라~!
슝~ 비행중

오~ 으리으리하다!
영어도 잘 통하고
여행하기 정말 편하네
도착!
오랜만에
맛보는 대도시의
편리함에 취한다~

맛있는 음식 먹으니까
표정이 확 피네~
많이 먹어~!
예쁘고 유명한 맛집도
진짜 많아! 크랩 최고!!
냠
행복!
도시 여행의
장점은 음식이지

25-2

설레게 만들어 줘

오랜만에 느껴보는
안락한 여행이다~
숙소도 많고 쾌적해
편해~

그런데 …
무언가 빠진 느낌이 들어
흐음~

스쳐 지나가는 야생의 기억들
두근 두근~!
그래!
이게 여행이지!

내 심장을 뛰게 하고 싶다면
더 강렬하고 날 것의 여행을 가져와
이런 식이면
곤란해
크흑…
예전의 여행스타일로는
이제 안되는 건가

새로운 여행에 눈을 뜬 이상!
이제부터 조금씩 다른 여행을 해볼까?

26

우리의 버킷리스트

26-1

누구나 이정도는 있잖아

26-2

그만 좀 불러

그런데 효밥이 버킷리스트는 뭐야?
아직 없어 여행하면서 천천히 찾아볼 거야
어떻게 없을 수 있지?
그럴 수도 있지
ENFP
INTJ

그럼 버킷리스트 찾을 때까지 내가 하고 싶은 거 먼저 해보자~ 발리에서 오토바이 타보고 싶었어!
예~!
찍는다~

이것도 할래
자연스럽게 찍어줘 어때? 잘나왔어?
풍경도 담아서 찍어 줘 ~
헤헷

오빠~
오빠~
안 돼! 다리가 짧아 보이잖아!
오빠~!
발리와 내가 잘 어울리게~ 다시 찍어 줘
오빠~
와~~나 이것도 할래
오빠~
인생 사진 남겨 줘~

26-3

부부 재판

찾았다 내 버킷리스트
내 버킷리스트는 혼자 있는 거야
자끈-
제발 그만 불러

기각! 혼자 하는 건 안 돼! 부부 여행이니까 무조건 2인 1조야
다시 찾아
부부법정
뭐라고?!

어이없네!
그렇게 따지면 인생 사진은 너 혼자 하는 거 잖아!
남편 효밥

우리가 함께 찍는 거지 그게 어떻게 나 혼자 찍는 거야?
아…애초에 내가 이길 수 없는 게임이었구나
유부남 통찰-
우리 이야기 좀 해
해탈

결혼이라는 감옥에 무기징역
룰루~♡
랄라
나는 행복하다
나는 행복하다
그래야만 해야한다

27

흥정의 필승법

27-1 각자의 역할

부부가 여행 하면
역할을 어떻게 분담 하세요?
궁금해요!
각자
잘하는 걸 해요

저는 주로 숙소와 이동편을 예약 하고
여행 경비 관련 및
경제 부장을 맡고 있어요
무임승차네
뭐야 그러면
혼자 다 하잖아요

요즘이 어떤 세상인데!
도대체 와이프는 여행에서
무슨 일을 해요?
하하
아 그게
실망이다

현지 흥정을 맡고 있습니다
가라!
네고왕!
내가 나설
차례인가

27-2

나그네 햇빛 전략

훗! 아무리 완벽하게 여행 준비를 한다고 해도
예상치 못한 사건 사고가 터지는 법!
현지 흥정으로 여행하는 법을 알려주지!
내가 얼마나 중요한 일을 하는지 잘 봐라~!
잘 보고 배우라고
잘봐~ 고수들의 싸움이다

무조건 가격만 깎으려고 하는 건 하수의 기술!
흥정하다가 기분 상하면 여행까지 망칠 수 있어
인터넷에 다 올릴거야
이거 완전 사기꾼이네!
완전 진상 여행객
안사!
도둑놈 심보! 어글리 코리안

Tip 1.웃는 얼굴에 사기 못 친다.
안녕~!
나마스떼!
?
어어? 안녕…

2. 이름을 불러주면 마음의 벽이 무너진다.
만나서 반가워 나는 한국에서 온 키만이라고 해~
나는 인도에 사는 무하마드야
널 존중해
고마워

나는 남편이랑 여행왔어
나도 결혼했어
Small Talk
너 눈이 정말 예쁘네
고마워 너도 예뻐
인도어 알려줄래?
물론이지!

친구니까 특별히 알려줄게
재네 다 사기꾼이니까 조심해!
(전) 사기꾼
(현) 친구
네가 최고야!
너 없었으면
어쩔 뻔 했어

인도는 누구든 믿으면 안 돼(?)
걱정되니깐 그냥
내가 데려다 줄게
고마워~
친구가 최고야
붕~!

이게 바로
나그네 옷을 벗긴
햇빛 전략이다
사람 대 사람으로
다가가면 사기꾼도 마음을 바꾸지

27-3

이미 가격은 정해져 있어

지금 바로 일주일 예약하면
50불 해줄게! 어때?
정말??
그럼 여기로 할게
처음부터
일주일 묵을 방
찾고 있었음 →

계획대로
흣-!

28

인크레더블 인디아

28-1

인도의 매운맛

누가 인도 기차 여행 악명높다고 했어~
현지 사람들도 친절하고
기차에서 파는
간식도 최고로 맛있는 걸!
꺄~

정말 맛있게 먹었다~!
그런데 이 쓰레기들은
어쩌지?
기차 안에
쓰레기 통이 없어
내릴 때까지
가지고 있을까?

(힌디어) 쓰레기통 찾아?
내가 도와줄게
나한테 줘 봐
응? 쓰레기 통
찾아준다는 말인가?
이리 줘 봐
?

창문을 왜
여는 거지?
쓰윽
서…
설마

Incredible India!
휘~익~!
달리는 기차에서 번지점프-!

인도에 온 걸 환영해~!
뭐가 잘 못 됐는지
아무것도 모르고 있어!!
악의 없는
저 순수함!

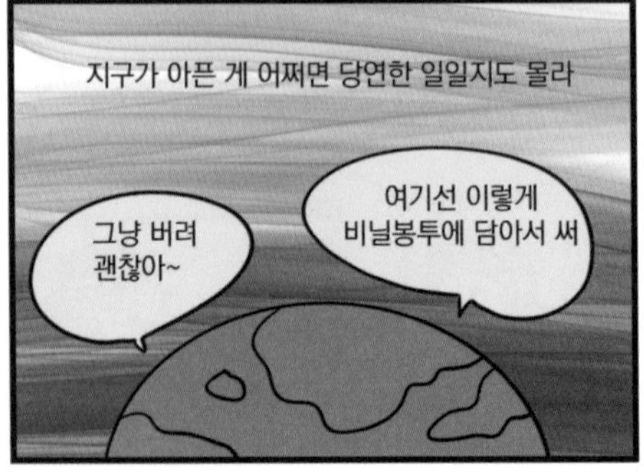
지구가 아픈 게 어쩌면 당연한 일일지도 몰라
그냥 버려
괜찮아~
여기선 이렇게
비닐봉투에 담아서 써

28-2

환승 기차

이번에
정차하는 역은
너네가 내려야 할 역~
음냐~
쿨쿨~
ZZZ
웅성 웅성

탁!
효밥아
일어나 봐!!
우리 완전 망했어!!
어떡해!!!!
으아~!
문이 닫혔어!

인도는 땅이 커서
역과 역 사이가 무려 20km야
이 늦은 시간에
버스도 없을테고
예약한 숙소는 어떻게
해야되지?
현실적인 수습을
하는 이성적 스타일

이렇게 바로 포기할 수 없어!!!
가는 기차가 있으면 오는 편도 있는 법
인도 기차 환승에
도전한다!
우선 부딪혀보는
열혈감성파
엥?!

우리 정거장을 놓쳤어
다시 돌아가고 싶은데
도와줄 수 있을까??
기차는 모두
매진이야
도와줄리
없잖아
호소중
저런
INFORMATION

사정이 딱해서 도와주고 싶지만
여기서 해결해 줄 수 없어
기차 티켓은
차장이 관리하니까
세상 간절~
징징~ 징징~
그러면
부탁 하나만
들어 줘

그 기차 차장이
영어를 못할 수도 있으니까
네가 종이에다가 우리 사정 좀 적어줘
도장도 있으면 찍어주고
어메이징!
처음듣는 부탁이야
what?
제발
please~
help
me

이거 안 써주면 계속 여기서
징징댈 것 같은데
그냥 차장한테 떠 넘기자
누군지 모르지만
미안하군
달~려!
20XX.XX.pm~
내릴 역 적어 줌

28-3

무임승차의 새로운 방법

인도에서는
이 전략이
먹힐 줄 알았지!!
지저스~!
와~! 이게 된다고??
인크레더블
키만이다~!
와아아아악!!

오늘부터 너를
행동대장으로 임명한다
사실 나는
안될줄 알았다
의심해서 쏘리
척!

사전 준비파와 즉흥 여행파
조금씩 서로의 부족함 점을 채우며
여행 파트너로 성장 중!
예약 OK~
현장 OK~

29

우리가 이렇게 변할 줄 몰랐어

29-1

똑같은 건 싫어

우리나라 여행자들은 정보 공유가 뛰어나다
블로그에 다 나와~
오! 이게 바로 여행자에게 필요한 국민 아이템이라고? 그렇다면 놓칠 수 없지~!

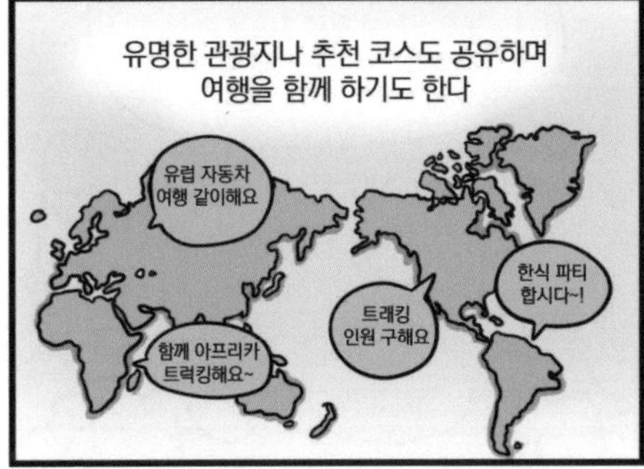

유명한 관광지나 추천 코스도 공유하며 여행을 함께 하기도 한다
유럽 자동차 여행 같이해요
함께 아프리카 트럭킹해요~
트래킹 인원 구해요
한식 파티 합시다~!

그러나 어디에나 예외는 존재한다
몰라서 묻는거니?
외롭다…
우리는 왜 아무도 못 만나는 걸까
응

네가 관광지는 죽어도 싫다며 그러면서 뭔 사람 타령이야
누가 이런 델 오냐고!
으으으으~!

29-2

지도로 여행하는 법

세상은 넓고! 여행할 곳은 많다!

30

어서와 인도 요가는 처음이지?

30-1 남인도 요가체험

버킷리스트 발동~!
인도에 왔으니 요가를 한 번 배워보자!
북부가 유명하다던데 거기로 안 가?
?
아~ 그건 말이야

북부까지 올라가기 귀찮으니까 그냥 여기서 다 하고 가
짐 싸기 귀찮아 이동도 싫어 피곤해~!
그렇게 귀찮은 게 많은데 여행은 어떻게 왔니

여기 선생님이 실력이 좋대 우선 한 번 배워보고 좋으면 북부로 이동하자
요가 처음이지? 남자가 잘할수 있을지 걱정되네
한 번 해볼게

그 때는 몰랐다... 요가가 우리 여행을 바꾸게 될 지...
실례합니다
끼익-

30-2

그걸 어떻게 해

헬로? 나는 요가 티쳐 조셉이라고 해~
동네 아저씨 코스 →
앗! 면바지에 타셔츠라니 생각보다 평범한 차림이네
당황

내가 생각한 인도 요가는 이런데
Yogi
역시 본 고장이라
생활 스포츠 느낌인가? 아무나 할 수 있나봐

몸 간단히 풀고 수업 시작 하겠습니다~
왠지 나도 할 수 있겠는 걸?
따라해보자!

할 수 있을리 없잖아
그게 어떻게 몸풀기인데

30-3

너 내 동료가 되라

따라해 보세요
아주 쉽죠?
ㅋㅋㅋ
저 오늘 처음왔는데요?
어째서 클래스 구별이 없는거죠?

오늘 처음 요가하는데
어떻게 하라는 거야
으~으!
이미 꼬기

오~ 너 남자치곤
유연하고 자세도 좋구나
요가는 누구나
할수 있어
와! 천재네!
하루 만에
한다고?!
어? 왜 되는건데?
?!

굿 바디~ 요가 지니어스!
혹시 티칭 프로그램
들어볼 생각 없니?
네?!
태어나서
처음해보는데
탐나는 인재야

30-4

통나무의 반란

조셉~ 나는 예전부터
요가 학원도 다니고
관심도 많은데 나는 어때??
기대기대
오! 너는
그 전에 요가를 했었다고?

당장 내 눈 앞에서 썩 꺼져
어디서 나한테
배웠다고 하지마
끼익~
끼익~
너 같은 통나무는
처음이야!!!

이대로 포기할 수 없어!
통나무도 할 수 있다는 걸
보여주고 말 테야!!
한다면 한다!!!
끼릭~
끼릭~
또 무슨 짓을
저지르려고 저러는 거지?!

이제 앞으로
매일 수련 시작이다!
앞으로 우리 배낭에
요가 매트를 추가하겠다
끼야호-!
20kg!!

31

두번째 여행 페이지

31-1

남들보다 느리지만 진득하게

우리는 지나온 시간을 통해
우리만의 여행 방법을 터득하기 시작했다
떠나기 전에는 몰랐던 나를 알게되니 보이는 것도 달라졌어
여행을 와서 행복하기 보다 행복해지는 방법을 배우고 싶어

고민 끝에 우리의 여행 루트를 모두 지우고
새로운 여행에 도전해보기로 결정했다
주의! 한 번 지우면 다시 돌아갈 수 없습니다
3년의 여행 계획을 모두
삭제하시겠습니까?
삭제
취소
삭제
고!

어디를 가는 것보다
무엇을 하는 게 중요한 우리!
이제 어떤 여행을 하게 될까?
PASS port
미식
춤
언어
두근! 두근!

31-2

하고 싶은 일이 생겼어

불안하지만
꿀잼 예상
믿고 가는
키만
나~ 키만이야~
내가 다 해결해주겠어!!
지금 고민해봤자
답 안나옴!

꼭 두번째
여행을 온 것 같아
기대돼
지금까지가
순한맛이었다면
이제는 마라맛!
조지아
트빌리시로
출발~!

여행 초보 탈출!
찐 고수 여행이 시작된다!

300일의 여행 전반전 끝!
과연 그들의 후반전은…?!

HAPPYN
H

YEAR

에필로그

끝나지 않는 여행의 기록

네! 끝났습니다
죄송합니다
이렇게
끝난다고?!
헉!
민망…

하이라이트만 뽑아서 그려도
여행 기간이 워낙 길다보니
분량 조절에 실패했습니다.
1권에는 진정한 여행자로
거듭나는 과정을 그렸다면
머쓱-

2권에서는 조지아 셰어하우스 오픈
멕시코, 쿠바, 콜롬비아
3개국 살사 프로젝트와
호주와 뉴질랜드 캠핑 라이프,
갈라파고스 한 달 살기 등
여행 고수의 내용을
만날 수 있어요!
후반전 내용까지 한권에
넣으면 백과사전 됩니다 허헛!

하하하하하하!
그럼 저는 마감을 했으니
이제 좀 쉬러
갑니다
!
뭐라고?
탈!
출!

쉬긴 뭘 쉬어! 정신 차려!
지금 당장 이어서 그려!!!
등짝 스매싱!
퍽!
꾸엥!

독자가 우습냐?
더 빨리 그리란 말이야!
알았어...
뭔 놈의 여행이
맨날 시작만 해
끝을 내란 말이야
흐엉~

여행 고수로 거듭난
키만과 효밥의 세계 여행
후반전은 2권에서 만나요♥
제가 꼭
완결시킬게요
열심히
그릴게요!

키만과 효밥의
12문 12답

1.실제 여행 기간과 루트가 궁금해요.

여행 기간은 2017년 4월 22일부터 2019년 4월 19일까지, 총 730일 다녀왔어요.
여행루트는 태국 3개월(방콕-치앙마이-아유타야-빠이-피피섬-푸켓)-라오스 2주(루앙프라방-므앙러이-쏩잼)-베트남 2주(하노이-하롱베이-깟바섬)-말레이시아 1주(쿠알라룸푸르-말라카-카메론하이랜드)-인도네시아 1개월(발리-길리 트라왕안-길리 에이르)-호주 3개월(케언즈-골드코스트-브리즈번-시드니)-뉴질랜드 2개월(크라이스트 처치-아카로아-리틀리버-데카포-마운트쿡-퀸즈타운-카이코우라-웰링턴-오클랜드)-인도 3개월(고치-바깔라르-함피-고아-코다이카날-마이소르-뭄바이)-조지아 6개월(트빌리시-시그나기-카즈베기-메스티아)-스페인 2주(바르셀로나-메노르카 섬-발렌시아-마드리드)-멕시코 3개월(칸쿤-플라야 델 카르멘-바르깔라-산크리스토발-멕시코시티-과나후아또)-쿠바 1개월(하바나-히론-트리니다드-산타클라라-레메디오스-산타마리아)-콜롬비아 1개월(보고타-칼리)-에콰도르 1개월(키토-갈라파고스-이사벨라-산타크루즈-바뇨스)-일본 2주(도쿄)입니다.

2. 여행 경비는 얼마 들었나요?

2인 기준 총 3800만 원(평균 하루 2인 기준 52,000원)이 들었어요. 항공권, 숙박비, 식비 금액 외에도 자동차

렌트 여행, 캠핑 로드 트립, 리브어보드 다이빙, 프리다이빙, 요가, 살사 등 다양한 활동 예산도 포함되어 있어요.

3.경비는 어떻게 아끼셨나요?

장기 체류를 많이 하기도 했고, 헬프엑스(HelpX) 또는 호스티(Hostie) 등 다양한 해외 프로그램을 이용한 덕분에 경비를 많이 아낄 수 있었어요. 또 조지아 트빌리시에서 셰어하우스 운영을 하기도 했어요. 1권이 소비하는 여행이었다면, 2권은 돈을 벌면서 여행하는 이야기를 담으려 합니다.

4. 항공권은 미리 예약했나요?

첫 나라인 태국 방콕행 편도 티켓만 예약하고, 그 후부터는 가고 싶은 곳 또는 하고 싶은 일이 생기면 바로 항공권 또는 교통편을 구매했어요. 프로모션 딜이나 현지에서 얻은 정보를 바로 적용해서 구매하면 미리 구입하는 것처럼 저렴하게 표를 구할 수 있어요.

5. 어떤 나라에서 한 달 살기를 하셨나요?

태국의 방콕과 치앙마이, 인도네시아 발리, 인도 바깔라르, 호주 케언즈, 뉴질랜드 리틀리버, 조지아 트빌리시, 멕시코 산크리스토발과 멕시코시티, 콜롬비아 칼리,

갈라파고스 섬이 있어요. 기억에 남는 장기 체류 도시는 살사를 배우기 위해 오래 머물렀던 콜롬비아 칼리예요. 그리고 가성비가 좋은 한 달 살기 도시는 유명한 치앙마이와 발리보다 조지아 트빌리시를 뽑고 싶어요. 유럽 문화와 안전한 치안 그리고 덥지도 춥지도 않은 날씨로 생활하기도 좋고 인터넷 속도도 나쁘지 않아 디지털노마드 생활하기에 적합한 도시라고 생각해요. 단, 영어보다 러시아어가 더 잘 통해요.

6. 여행자 보험은 어떻게 하셨나요?

출발할 때 1년짜리 보험을 들고 떠났고, 이후에는 무보험으로 여행했어요. 1년이 만료되고 일정기간이 흐른 후에는 연장이 안되더라구요. 바로 갱신을 해야 계속 여행자 보험을 유지할 수 있어요 저희는 다행스럽게도 보험이 필요한 순간은 없었어요. 하지만 여행자 보험은 꼭 드시는 걸 추천해요.

7. 부부싸움은 안 하셨나요?

여행 100일까지는 사소한 걸로 많이 티격태격했어요. 이번 기회를 통해 무언가 얻어야 한다는 생각 때문에 서로 예민해졌어요. 싸우고 나면 아무리 좋은 풍경을 보고 맛있는 걸 먹어도 기억에 안 남더라고요. 또 24시간 함께 있다 보니 감정이 상하면 서로 너무 힘들어서 싸우되 대화로 슬기롭게 풀어가는 연습을 많이 했어요.

잘 화해하는 방법을 터득하니 싸움도 줄고 이해하는 법을 배우게 된 것 같아요.

8. 위험한 순간은 없었나요?

감사하게도 크게 위험한 순간은 없었어요. 여행 계획이 부실하고 게을러보여도 '안전'에 관해서는 꼼꼼하게 신경썼어요. 또 배낭이 재산이기 때문에 국경을 넘거나 위험한 곳에 가면 경계를 철저히 했어요. 사진과 기록도 꼼꼼하게 체크하고 배낭을 교대로 지키기도 했죠.

9. 여행을 통해 바뀐 게 있다면?

첫 번째는 세상에는 다양한 삶의 가치가 있고 그걸 존중하는 법을 배우게 되었어요. '이게 맞나?'라고 걱정이 될 때, '나에게는 무엇이 맞을까?'라는 생각을 하는 거죠. 기준의 중심을 저에게 두게 되었어요. 두 번째는 서로에 대한 신뢰감이 생겼어요. 여행은 위기의 연속이에요. 함께 다양한 위기를 겪어내면서 믿음이 생겼어요.

10. 만화를 그리게 된 계기가 궁금해요.

여행 중에 버스나 비행기를 기다리는 시간이 꽤 많아요. 그 지루한 시간을 어떻게 보내볼까 하다가 그림을 그리게 되었어요. 여행의 순간을 담아 그리다 보니 자연스럽게 만화까지 나오더라고요. 재미 삼아 짧게 그리던 만화가 이렇게 묶여 출간되다니! 역시 미래를 알 수가 없어요.

11. 만화로 그린 에피소드는 어떤 기준으로 선정하셨나요?

여행지 소개보다는 여행을 통해 변해가는 저희 부부의 마음을 나타낼 수 있는 에피소드로 꼽았어요. 나도 몰랐던 나를 찾아가고, 여행의 진짜 의미를 고민해보고, 성향이 다른 두 명이 이해해가는 과정을 유쾌하게 풀어봤습니다.

12. 이 책을 통해 하고 싶은 말이 있다면?

머릿속으로 상상했던 여행과 실제 저희 부부가 겪은 여행은 전혀 달랐어요. 떠나기 전에는 상상도 할 수 없던 일들을 겪었어요. 여행과 인생은 비슷한 것 같아요. 미래를 고민하고 걱정하는 것은 필요하지만, 미래는 예측할 수가 없더라고요. 열심히 고민했는데 막상 소용없어질 때도 있었어요. 답은 항상 부딪혀야 나오는 것 같아요. 그러니 너무 먼 미래까지 보느라 멈춰있지 말고 느리더라도 조금씩 나아가면 좋겠어요.

키만과 효밥의
Drawing in Travel

펜만 있으면 어디서든 그릴 수 있지!
-푸켓의 허름한 작은 술집에서

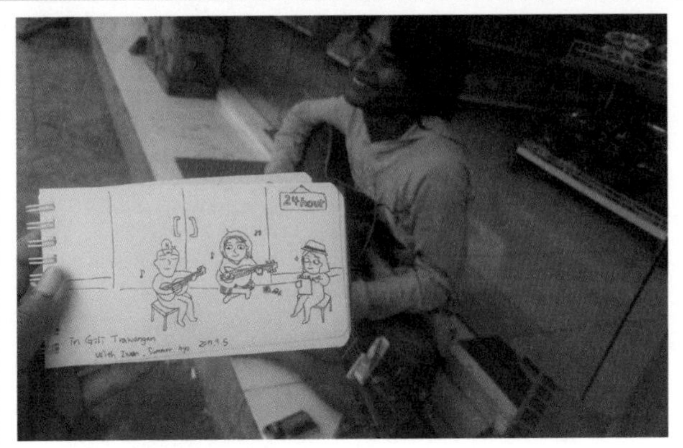

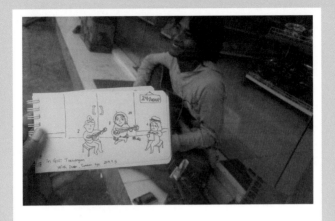

hello?라는 말 한마디면 누구와도 친구가 될 수 있어
-인도네시아, 길리 트라왕완 편의점 앞에서

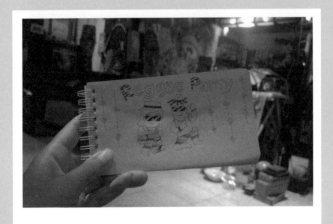

오늘은 레게 스타일로
-태국 북부, 빠이 레게바에서

수영을 배우니까 여행이 정말 더 즐거워졌어!
-인도네시아, 길리 에이르 섬에서

역시 해봐야 나랑 맞는 지 아닌 지 알 수 있어
-인도네시아 발리, 서핑을 배우며

세계 여행 출발 54일, 아직 마냥 신나기만 해
-태국, 피피섬 해변 앞에서

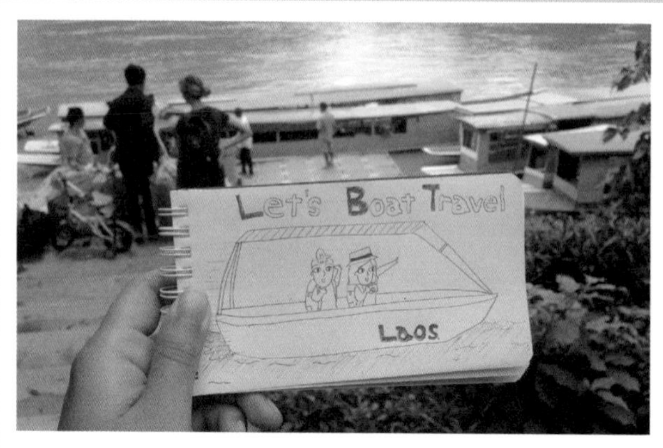

메콩강을 거슬어 올라가보자
-라오스, 므앙러이 선착장에서 배를 기다리며

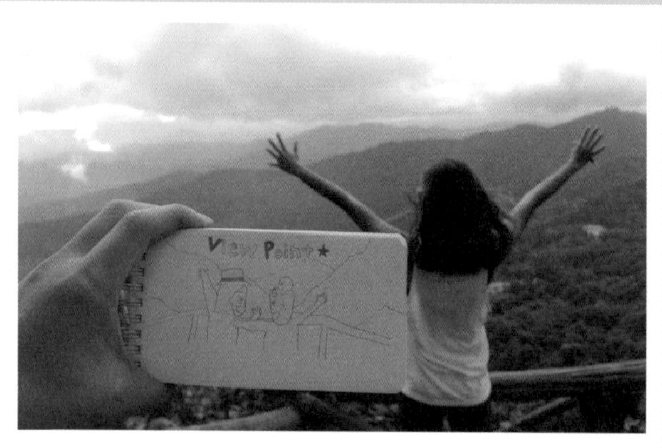

아무 곳이나 멈춰도 그곳이 뷰 포인트
-태국 북부, 치앙마이 산골 여행 중

우기의 동남아에서 소나기는 단골 손님
-태국, 방콕에서 스콜을 피하며

가만 있어 봐! 남는 건 사진이니까~
-태국, 시원한 에어컨이 나오는 아유타야 카페에서

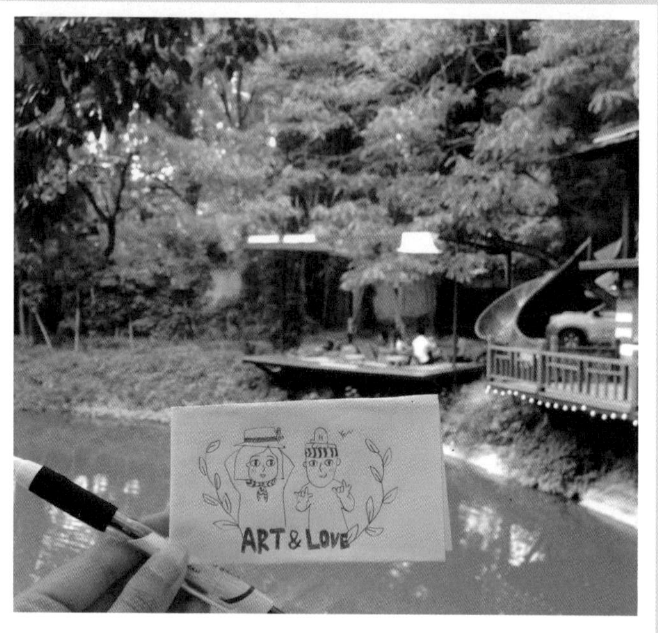

여행을 오래 하다보면 스타일로 바뀌는 법이지
-태국, 히피들의 성지 치앙마이에서

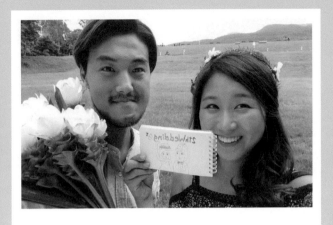

두 번째 결혼 기념일을 축하하기 위해 꽃시장에도 다녀왔다
-태국, 치앙마이 목장에서 셀프 웨딩사진을 찍으며

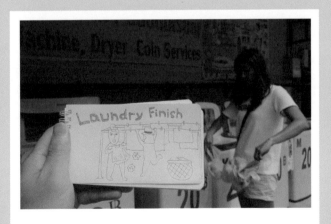

오늘은 빨래하는 날~
-태국, 치앙마이 한 달 살기 중

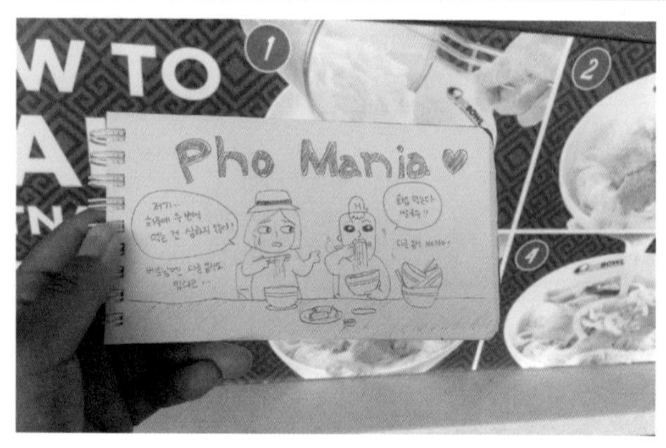

효밥 먹는다! 쌀국수! 아무도 날 말릴 수 없어!
-베트남, 하노이 쌀국수 식당에서

한 번 이동하려면 기다리는 게 일이야
-태국, 피피섬행 배를 기다리며

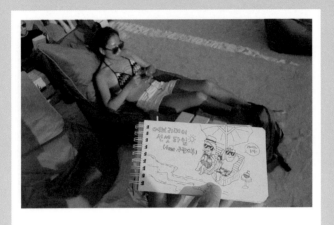

매일 5시30분, 여행자들이 해변 앞으로 모이는 시간
-인도네시아, 발리의 해변 앞에서

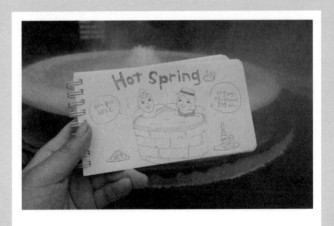

크아~ 좋다! 피곤이 다 녹는구나
-태국, 치앙마이 온천에서 계란 삶아먹으며

땅 넓은 인도에서 슬리핑 기차는 필수!
-인도, 고치에서 바깔라르로 출발

조식 나오는 게스트하우스는 사랑입니다
-말레이시아, 카메론 하이랜드

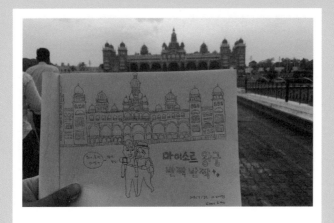

놀랍게도 그림 실력이 조금씩 늘고 있다
-인도, 마이소르 왕궁의 야경을 기다리며

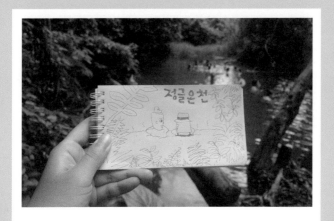

이건 그냥 미지근한 물인데?
-태국, 온천을 기대한 마음이 와사삭 무너지며

인터넷이 없어도 하루가 바쁘다 바빠
-라오스, 오지마을 홈스테이 중

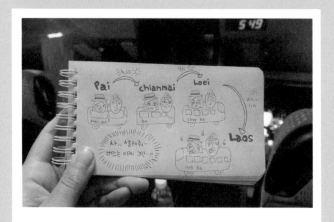

무려 27시간 동안 버스를 네 번이나 갈아타고 국경을 넘다
-라오스, 루앙프라방 국경 버스 안에서

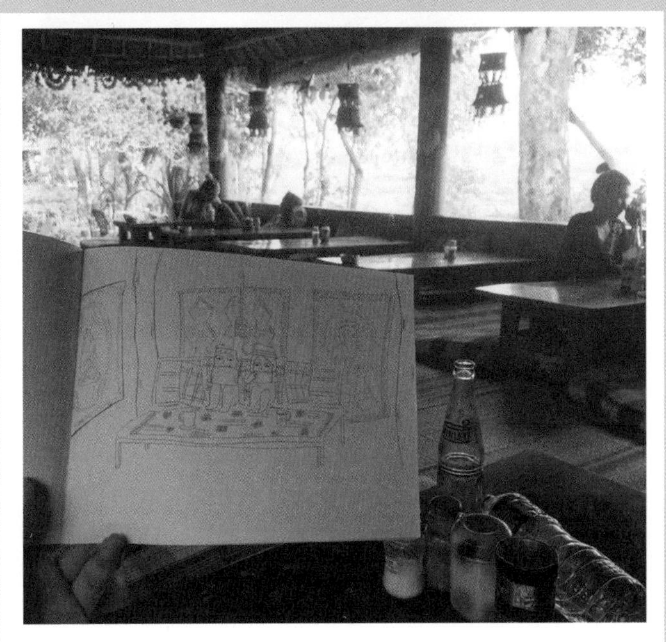

너무 더워서 아무것도 할 수 없는 함피의 여름이여!
-인도, 다들 어떻게 알고 오는 지 궁금한 함피에서

금요일 밤에는 모두 재즈 클럽으로 모여!
-태국, 방콕 재즈 클럽에서

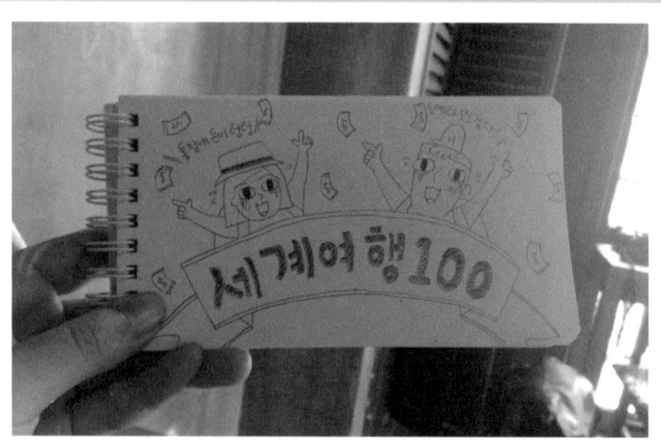

통장에 돈이 텅텅! 그래도 좋다!
-베트남, 세계여행 100일을 축하하며 하롱베이에서

오늘은 여행도 하루 쉬어갑니다
-인도네시아, 길리 에이르 섬에서

호주까지 가는 비행기 값이 단 돈 15만원! 무조건 가야지!
-호주, 케언즈 비행기를 기다리며

함께라서 더 즐거웠던

여보야 배낭 단디 메라

여행 온 거 맞지?

게을러도 여행은 하고 싶어

초판 1쇄 발행 2021년 01월 18일

지은이 김한솔이
발행처 키효북스
디자인 김효섭
주 소 인천시 부평구 부평대로 165번길 26, 1층 출판스튜디오 쓰는하루(21364)
이메일 two_hs@naver.com
블로그 https://blog.naver.com/two_hs
인스타그램 @writing_day_

ISBN 979-11-91477-18-4

한국만화영상진흥원 KOREA MANHWA CONTENTS AGENCY [2021 만화독립출판지원사업] 선정작

• 책값은 뒤표지에 있습니다.
• 이 도서의 국립중앙도서관 출판예정도서목록(CIP)은 서지정보유통지원시스템 홈페이지 (http://seoji.nl.go.kr)와 국가자료공동목록시스템(http://www.nl.go.kr/kolisnet)에서 이용하실 수 있습니다.
• 잘못된 책은 구입하신 서점에서 바꾸어 드립니다.